JOSEPH H

QUARTET

for 2 Violins, Viola and Violoncello
B♭ major/B-Dur/Si♭ majeur
Hob. III:12
(Op. 2/6)
Edited by/Herausgegeben von
Wilhelm Altmann

Ernst Eulenburg Ltd

London · Mainz · Madrid · New York · Paris · Tokyo · Toronto · Zürich

Quartet Nº 12

I

Joseph Haydn, Op. 2, Nº 6
1732-1809

Adagio (Andante)

Violino I

Violino II

Viola

Violoncello

Var. I

Var. II

Var. IV

II

8

Trio

M.D.C. al Fine

III

Fine

D.C. al Fine

IV

V

Presto